哇哦！中国古代科技了不起

天文与历法

白 欣 主编
李 亮 著
牛猫小分队 绘

U0266197

大连理工大学出版社

图书在版编目（CIP）数据

天文与历法 / 李亮，牛猫小分队著、绘. -- 大连：

大连理工大学出版社，2024. 10. --（哇哦！中国古代科

技了不起／白欣主编）. -- ISBN 978-7-5685-5171-7

I. P194.3-49

中国国家版本馆 CIP 数据核字第 2024K2B925 号

天文与历法 TIANWEN YU LIFA

出 版 人　苏克治	策划编辑　苏克治　遆东敏		
责任编辑　陈　玫　董歘菲	责任校对　邵　青		
责任印刷　王　辉	封面设计　丫丫书装　张亚群		
美术指导　苏岚岚	漫画主创　苏岚岚　赏　鉴　吕箐莹　虞天成		
版式设计　牛猫小分队	漫画助理　冯逸芸　陈天宇　张莹		
设计执行　郭童羽			

出版发行　大连理工大学出版社

地　　址　大连市软件园路 80 号　　　　邮政编码　116023

邮　　箱　dutp@dutp.cn　　　　　　　电　话　0411-84708842（发行）

网　　址　http://dutp.dlut.edu.cn　　　　　　　　　0411-84708943（邮购）

印　　刷　大连天骄彩色印刷有限公司

幅面尺寸　185mm×260mm　　　　　印　张　5　　　字　数　132 千字

版　　次　2024 年 10 月第 1 版　　　印　次　2024 年 10 月第 1 次印刷

书　　号　ISBN 978-7-5685-5171-7　　定　价　66.00 元

本书如有印装质量问题，请与我社发行部联系更换。

主编简介：白欣

白欣，首都师范大学初等教育学院教授，博士生导师，主要从事科技史与科学教育、博物馆教育与综合实践活动研究。入选青年燕京学者。主持国家自然科学基金三项，发表学术论文和科普文章 200 多篇。主编或出版科普图书 40 多本。

作者简介：李亮

李亮，中国科学技术大学科学技术史专业博士，巴黎第七大学博士后，中国科学院自然科学史研究所研究员，法国巴黎天文台客座教授，德国马普科学技术史研究所访问学者，中文期刊《中国科技史杂志》、英文期刊 Journal for the History of Astronomy 编委，中国科学院青年创新促进会会员。出版有多部学术作品和科普图书，荣获"全国优秀科普作品""中国科学院优秀科普图书"等奖项。

绘者简介：牛猫小分队

牛猫，本名苏岚岚，本科毕业于中国美术学院，硕士毕业于法国比利牛斯高等艺术学院。"谢耳朵漫画"联合创始人，是童书作者也是绘者。擅长设计，喜欢画画，喜欢编段子，喜欢不断突破自己去创新。开创了用四格漫画组成"小剧场"来传播科学知识的形式，代表作品有《有本事来吃我呀》和《动物大爆炸》等。

牛猫小分队的另一位核心成员叫赏鉴，是本书的漫画主笔，他画的漫画在全网有 5 000 万以上的阅读量。

写在前面的话

亲爱的小读者们，

当你们翻开这套"哇哦！中国古代科技了不起"的那一刻，就像推开了一扇通往古老智慧宝库的大门。在这里，我们将一同踏上一段奇妙旅程，穿越时空隧道，探寻那些曾经照亮人类文明进程的科技之光。

在历史的长河中，中国古代科学技术以其独特的魅力和深远的影响，成为人类文明的重要组成部分。造纸术、印刷术、火药、指南针，这些耳熟能详的伟大发明不仅推动了中国科技的发展，也对世界文明产生了不可估量的影响。

我们精心挑选了五大领域的经典科技成就，通过科学漫画的形式，将复杂深奥的科学原理转化为生动有趣的故事情节，让你们能轻松愉快地走进古代科技的世界。从圭表测量日影的精准，到漏刻计时的巧妙；从被中香炉的神奇，到纺织工具的精妙；从都江堰的壮丽，到弓形拱桥的跨越；从倒灌壶的奇妙，到印刷术的革新……每一个章节都充满了惊喜和发现，等待着你们去探索和体验。

中国古代科学技术的许多成果，如农业技术、水利工程等，都是通过实践得出的。书中特别设计了动手实验环节，配置了丰富的材料包，大家通过亲自动手操作，不仅可以再现伟大的发明，还能培养动手能力，提升解决实际问题的能力。中国古代科学技术往往涉及多个学科，如数学、物理、化学等，这种跨学科的特点也为大家提供了一

个综合性的学习平台，可以培养综合思维能力。中国古代科学技术的发展过程，体现了严谨的科学态度和科学方法。阅读书中的内容，可以树立正确的科学观，潜移默化地培养批判性思维和逻辑推理能力。

我们希望通过这套书，激发你们对科学的兴趣，培养你们的科学思维，让你们在享受阅读乐趣的同时，感受到中国古代科技的独特魅力和深远影响。

同时，我们也希望这套书能够成为你们了解祖国悠久历史和灿烂文化的窗口，更加深刻地感受到中华民族的伟大。我们相信，在未来的日子里，你们一定会成为能够担当起民族复兴重任的时代新人，以智慧为舵，勇气为帆，乘风破浪，开创更加美好的未来。

让我们携手共进，一起探索中国古代科技的奥秘吧！愿你们在未来的道路上，不断前行、不断超越，成为那个最了不起的自己！

祝愿你们阅读愉快！

白 欣

2024 年 9 月 30 日

扫码观看
时光通识课

欢迎小朋友和我一起阅读呀！

我叫漏刻，是中国古代常用的计时工具。

目 录

传说，上古神兽白泽，通晓世间万物，所到之处，所言之事，都能引起惊叹，孩童们不约而同地喊出"哇哦"。

"哇哦"之音逐渐在白泽身边凝集，幻化成一只灵动可爱的小神兽，唤作"哇哦"！

1 日影测量的"量天尺"——圭表

在一个阳光明媚的中午，哇哦来到了南京博物院。

他走进一间展厅，无意中发现了一件文物——一个看上去十分简单的铜制物件。名牌上写着它是一件重要文物，名字叫作"圭表"，于1965年在江苏仪征出土，是个东汉年间的物件。

这小玩意儿真矮啊！长得也太普通了吧？它也算得上重要文物？究竟有什么用呢？

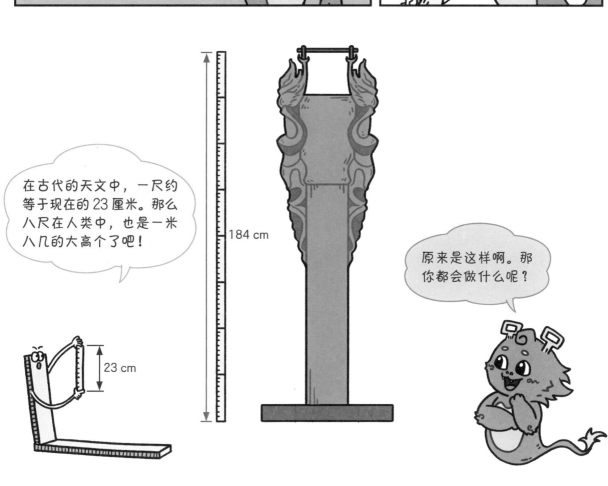

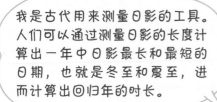

我是古代用来测量日影的工具。人们可以通过测量日影的长度计算出一年中日影最长和最短的日期，也就是冬至和夏至，进而计算出回归年的时长。

圭表，你刚才说到回归年的时长，那么一个回归年到底是多长呢？

想象一下，我们有一个巨大的时钟，这个时钟的指针就是地球。地球绕着太阳转，就像时钟的指针绕着表盘转一样。

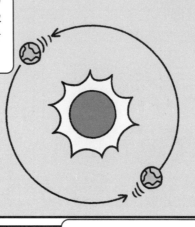

哇哦！那地球岂不是一个超级大指针？

没错！而回归年就是这个"指针"转一圈所需的时间。但这里有个有趣的地方，地球在转的时候，它自己还在倾斜着。

聪明！就是这样。正是因为这种倾斜，我们才有了四季的变化。

原来四季是这么来的！那回归年具体是怎么算的呢？

倾斜？就像一个斜着的陀螺吗？

现在的回归年计算方法是从春分点开始，到地球再次回到春分点的时间。春分点是一年中白天和夜晚几乎一样长的时候，通常在每年 3 月 20 日或 21 日。

3月
21

圭表，你刚才说到"日影"，那到底是什么呀？

哦，日影啊！这是个很有趣的现象。你有没有在阳光下看到过自己的影子？

当然啦！每次出去玩，太阳一照，地上就有我的影子。

没错！你的影子就是一种日影。"日影"就是太阳光照射到物体上，在地面或其他表面形成的阴影。

这是因为太阳在天空中的位置是不断变化的。早上和傍晚，太阳离地平线比较近，这时候影子会很长。到了中午，太阳在头顶上，影子就会变短。

哦！原来如此。那为什么日影会变长变短呢？

早上　　中午　　傍晚

我明白了！就像我们玩躲猫猫，太阳躲得低，影子就长；太阳躲得高，影子就短！

对极了！你真聪明。古人就是通过观察这些日影的变化，来测量时间和划分季节的。

夏至

冬至

一年中，正午时刻的日影冬至最长，夏至最短。古人通过测量冬至前后日影的变化，计算出冬至和夏至时刻。

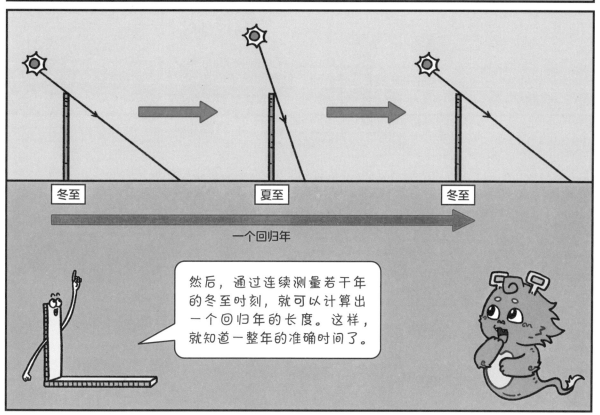

冬至

夏至

冬至

一个回归年

然后，通过连续测量若干年的冬至时刻，就可以计算出一个回归年的长度。这样，就知道一整年的准确时间了。

圭表是中国最古老，也是最简单的一种天文仪器。它最迟在周代登上历史舞台，在元代发展至顶峰，并一直沿用至明清。它在古代天文中发挥了非常重要的作用，被喻为"量天的尺子"。

圭表一般是木制或铜铸造的。西汉首次出现铜表，当时圭表的表高为八尺，这也成为此后圭表的标准高度。汉代之后，国家的天文机构基本上都使用铜来铸造圭表。如今，在南京紫金山天文台还保存有明代正统年间制造的八尺铜圭表。

当然，接下来我要给你讲一个关于郭守敬的故事。

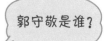

郭守敬是谁？

郭守敬是元代天文学家。他发现圭表在日影测量中其实是有误差的。一般人们认为仪器的尺寸越大，观测结果越精确。郭守敬觉得，如果造更大的圭表，按比例放大影子，或许就能减小误差。

郭守敬

放大

真是个好主意！

于是，郭守敬在登封建起了四丈高的表，高度是传统八尺圭表的五倍。整座建筑高达十余米，也叫登封观星台。不过，郭守敬也遇到了难题。

能难住大天文学家的难题是什么？

登封观星台的高表由两座正南朝向的塔楼组成，高表中间的顶部装有一根水平杆，其高度正好是 40 尺。每到正午，太阳光照射到水平杆时，就会在地面的石圭上投射出一道长长的影子。由于整个设备非常大，因此在冬至时，它的影长可以达到约 20 米。

郭守敬建成这座四丈高表后，发现太阳影子更模糊了。实际上这是一个永恒的天文学难题——半影问题。太阳不是理想的一个亮点，而是明亮的圆盘，它中心和边缘的光线都投射出影子，使得阴影的边缘变得模糊。

这真是个麻烦！

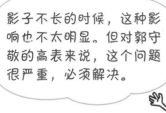

影子不长的时候，这种影响也不太明显。但对郭守敬的高表来说，这个问题很严重，必须解决。

他怎么解决的？

为了解决这个问题，他发明了叫作"景符"的东西。

郭守敬

景符

景符是一块倾斜的小铜板，可以沿着圭表的石圭移动，在它的中心钻有一个直径约为2毫米的小孔。这样一来，只要将其垂直于太阳光，光线便可以通过小孔，在石圭上投射出清晰的影子，这其实就是利用了小孔成像的原理。

你快说说景符的效果如何？

景符的结构很简单，是个有小孔的薄铜片。这样一来，利用小孔成像原理，人们在圭面上就可以看到米粒大小的太阳图像了。

小孔成像？听起来好神奇啊！能给我解释一下吗？

当然可以。想象一下，你在一个房间里，外面阳光明媚。房间里有一个很小的洞，就像一个小窗户。

嗯，我能想象到。然后呢？

当阳光通过这个小洞照进房间时，会发生一些神奇的事情。这个小洞就像一个魔法门，让外面的阳光进来，但进来的光线会在房间的墙上形成一个倒立的图像。

倒立的图像？

没错！这个图像其实是外面世界在房间内墙上的一个小影子。这就是我们说的小孔成像。

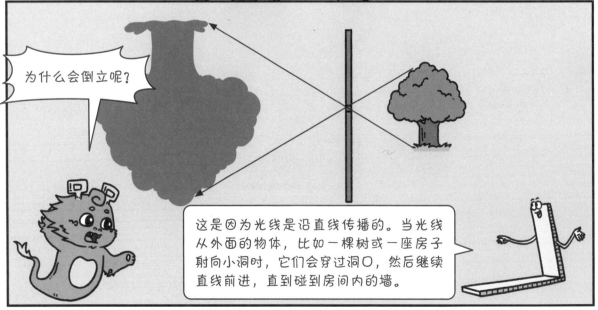

为什么会倒立呢？

这是因为光线是沿直线传播的。当光线从外面的物体，比如一棵树或一座房子射向小洞时，它们会穿过洞口，然后继续直线前进，直到碰到房间内的墙。

哦，我明白了。因为光线是从不同角度进来的，所以在墙上形成的图像就倒立了。

没错！小孔成像是古人观察和理解光线传播的一个很好的例子。

太巧妙了！这个小装置居然解决了那么大的难题。

是的，古人虽没有现代科技，但对自然的观察和思考让他们受益匪浅。正是得益于圭表和景符的配合使用，郭守敬得出了一回归年为 365.242 5 日[注]，这与如今使用的回归年数值(365.242 2 日)非常接近，误差只有二十几秒。

三百六十五万二千四百二十五分

365.242 2 日

哇哦，古人的智慧真是了不起！

注：郭守敬的时代不使用小数，而是使用分数，这个 365.242 5 是后人转换推算而来的。古籍原文是"日周，一万。岁实，三百六十五万二千四百二十五分"。其中，分母为日周，分子是岁实，计算结果就是 365.242 5。

动手实验 制作圭表

你好，圭表！听说古代天文仪器很神奇，比如你们圭表就既简单又易用，能教我制作和使用吗？

当然可以！我们开始吧！

实验材料：两块木板（圭的部分长 15 厘米左右，表的部分长 8 厘米左右）、尺子、铅笔、胶水。

实 验 步 骤

第1步

准备好了，那我们从哪里开始呢？

在稍大和稍长的木板上画出"圭"的部分。用尺子和铅笔画出圭的刻度，可以画出15个相等的小格子。每个小格子1厘米，标上1、2、3等数字。

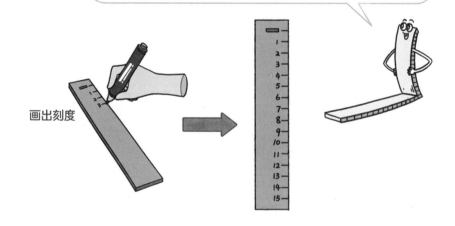

画出刻度

第2步

接下来要制作"表"的部分。在大木板凹陷的位置，竖直插入一块小的木板。为了日影测量的准确，一定要确保"圭"和"表"是垂直的，可以用一根铅垂线来校对是否垂直。

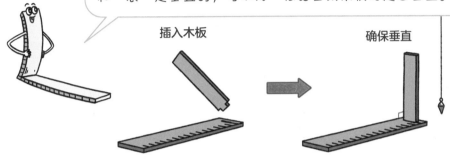

插入木板　　　　　　　　　　　　　确保垂直

第3步

将制作好的圭表放在阳光充足的地方，注意摆放的方向是正南北朝向。可以使用指南针来校准，或者用手机的指南针小工具。调整方向时，注意装有"表"的一端在正南方。这样在正午时刻，你就能在圭面上测量出影长啦。

原来如此，真是太有趣了！谢谢你教我制作和使用圭表，我会坚持观测的！

原 理 揭 秘

当太阳照射到"表"上时，会在"圭"上产生影子。通过观察，记录影子末端所在的刻度，比较不同节气影子的长短变化，就能了解季节的变化和太阳的运动规律了。

2 铜壶计时 —— 漏刻

哇哦来到一处考古现场，考古学家正在进行发掘。

这是位于南昌的一座西汉墓，墓的主人是赫赫有名的海昏侯，曾经的西汉废帝刘贺（前92/93年—前59年）。虽然他在位27天后，就被罗列了无数罪状，以至于草草下台被贬为侯爵，但他的墓室依然很壮观。考古现场不断有大量的金器、玉器和简牍等珍贵的文物出土，看得哇哦不断啧啧称奇。这时，考古学家在一号主墓的酒具库里发现了一个大家伙。

哇哦！这是什么东西啊？又大又圆，好像是用铜做的。

哎呦，睡得真香！说是一梦千年，我这一觉居然睡了两千多年呢！

你是谁呀，居然会说话？

你好呀。我叫漏刻，是一种古老的计时仪器。

计时仪器？

对，我可以帮助人们测量时间。你知道时间是什么吧？

知道啊。不过，我们都用钟表来测量时间，你是怎么知道时间的呢？

这个简单，我是用漏壶和刻箭来测量时间的。

漏壶？刻箭？听起来好复杂啊！能给我讲讲吗？

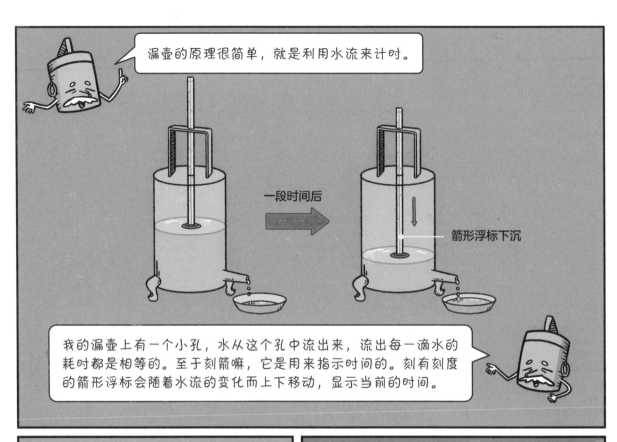

漏壶的原理很简单，就是利用水流来计时。

一段时间后

箭形浮标下沉

我的漏壶上有一个小孔，水从这个孔中流出来，流出每一滴水的耗时都是相等的。至于刻箭嘛，它是用来指示时间的。刻有刻度的箭形浮标会随着水流的变化而上下移动，显示当前的时间。

漏壶　滴漏　刻漏

其实，我还有很多别的名字呢。有人叫我"漏壶"，有人叫我"滴漏"或"刻漏"。

哇，这么多名字啊！为什么会有这么多名字呢？

这是因为我在古代是一种非常常用的计时仪器。不同的人可能会用不同的名字来称呼我。

你刚才说你是用铜做的，为什么要用铜呢？

因为铜比较耐用，不容易生锈。而且，铜可以精确地加工出底部漏水的小孔，这对于准确计时非常重要。

原来如此。那你知道古人是怎么想到用你来计时的吗？

据说，这个想法是古人从观察容器漏水中得到的启发。你知道吗，早期的陶器在使用中可能会因为破损而漏水。

古人发现，水的流失与时间的流逝有着某种对应关系。他们注意到，相同大小的漏洞，水流失的速度是固定的。

真的吗？那这和计时有什么关系呢？

哦，我明白了！所以他们就想到可以用这个原理来计时，对吗？

古人真是太聪明了，能从生活中的小事发明出这么有用的东西。

没错！正是这种细心的观察和聪明的联想，才让我这样的计时工具诞生了。

是啊，这就是智慧的力量。人类的进步往往就是从这些看似简单的观察开始的。

哦，懂了！漏壶和刻箭的功能就像钟表里的机芯和指针。

没错，你说得很对。漏刻由漏壶和刻箭两部分组成，漏壶如同钟表的机芯，决定了漏刻的精确度；刻箭如同钟表的钟面及指针，用来指示时间。

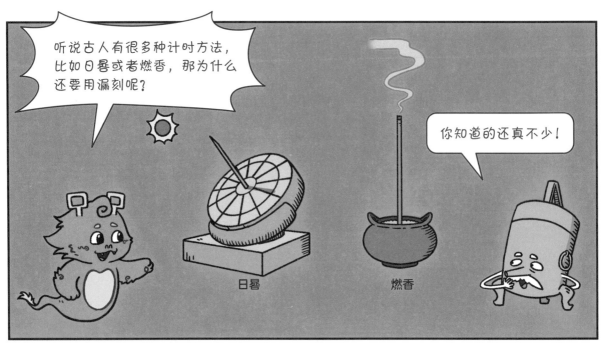

听说古人有很多种计时方法，比如日晷或者燃香，那为什么还要用漏刻呢？

你知道的还真不少！

日晷

燃香

没错，这些方法都可以用来计时。不过，日晷必须在晴天才能工作，而漏刻没有这样的限制。

燃香的方法则不太精确，而且香很快就会燃尽，没法长时间计时。所以，漏刻才是中国古代最为实用和普及的计时器。

那你有没有什么缺点？

缺点嘛，自然也是有的。

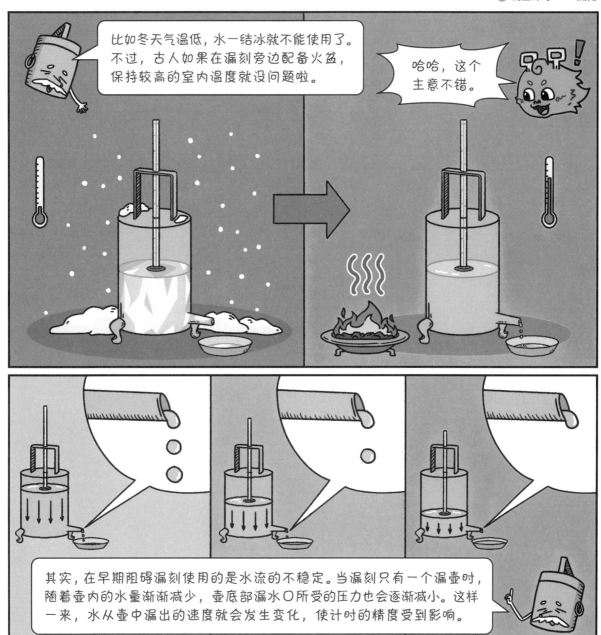

比如冬天气温低，水一结冰就不能使用了。不过，古人如果在漏刻旁边配备火盆，保持较高的室内温度就没问题啦。

哈哈，这个主意不错。

其实，在早期阻碍漏刻使用的是水流的不稳定。当漏刻只有一个漏壶时，随着壶内的水量渐渐减少，壶底部漏水口所受的压力也会逐渐减小。这样一来，水从壶中漏出的速度就会发生变化，使计时的精度受到影响。

　　常见的漏刻有两种：一种是在壶中插入一个标杆，称为刻箭。刻箭由一只舟承托，浮在水面上。当水流出壶时，刻箭下沉，通过读取漏箭上的刻度来指示时刻，这种漏刻称为"泄水型漏刻"或"沉箭漏刻"。另一种漏刻为水流入壶中，通过上升的刻箭来指示时刻，称为"受水型漏刻"或"浮箭漏刻"。

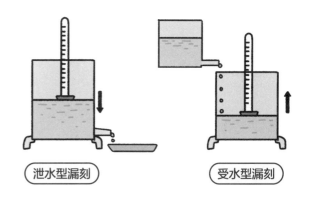

泄水型漏刻　　　　受水型漏刻

古人又是如何解决这个难题的呢?

单级漏刻水流不稳定,西汉末年发展出两级漏刻,也就是有两个漏壶。

采用上层壶流出的水来补充下层壶的水,以此提高水流的稳定度。

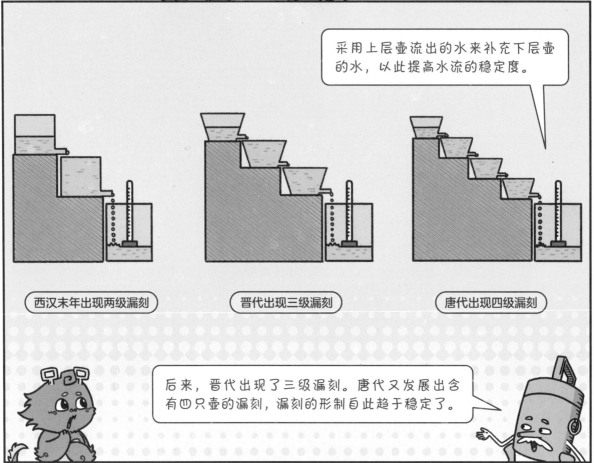

西汉末年出现两级漏刻 | 晋代出现三级漏刻 | 唐代出现四级漏刻

后来,晋代出现了三级漏刻。唐代又发展出含有四只壶的漏刻,漏刻的形制自此趋于稳定了。

让我想想。也就是说,可以给漏刻配上多个漏壶,由高到低排列,由上往下进行逐层送水。这样最下面的那个漏壶就能不断得到补充水,水面就可以保持在固定的高度。那么,最后流出的水也能保持均匀的速率了。

不错,就是这个原理。

　　由于昼夜时刻在一年中是变化的，冬季的夜晚比夏季的夜晚时间要长很多，因此冬季刻箭夜刻的刻度范围要宽一些。同一个地方一年中使用的刻箭也需要不停地更换，但每天更换一根不同的刻箭，一方面烦琐不便，另一方面相邻几天的差别其实也不是很大，于是人们采取隔一段时间更换一支刻箭的方法。具体更换的方法则各个时期略有不同，如西汉汉武帝时，采取每九天更换一次刻箭，全年用箭四十一支。到了东汉，改为一个节气更换两支，全年用箭四十八支。

哇，太神奇了！

中国的古代科技非常发达。漏刻是其中之一，它的计时原理虽然简单，但在实际应用中具有非常重要的价值。而且古人通过改进漏刻，还能不断提高计时的准确性。

古人还发明了"称漏""莲花漏"等新型漏刻。

"莲花漏"，这个名字好奇特呀！

燕肃

莲花漏

莲花漏是北宋时期的燕肃发明的，因受水箭壶上置有一铜荷叶，中心有一莲心，刻箭上端饰有莲花而得名。这种漏刻的特点是利用了物理学中的虹吸原理，很好地解决了供水壶稳定供水的问题。

　　到了北魏时期，李兰发明"秤水漏刻"，又名"水秤"或者"秤漏"。这是一种利用杆秤称量漏刻受水壶中流入水的重量来计量时间的一种漏刻，它以计算受水的重量代替受水的容积，显示时间不再通过刻箭，而是通过秤上的重量刻度。

听你讲了这么多，我明白了！漏刻就像是使用水来计时的沙漏，帮助人们知道一天中的不同时刻。

没错！漏刻的发明和使用，展示了古人的智慧和创新。而且，漏刻不仅是一个计时工具，还是中国传统文化的一部分，我们传承了古代的时间观念和生活方式。

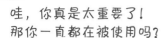

哇，你真是太重要了！那你一直都在被使用吗？

其实，到了清代，我的使用就开始减少了。

为什么呢？是有更好的工具取代你了吗？

是的。17世纪后，机械钟表的精确度大为提高，开始逐渐替代我。不过，清代宫廷中还是保留了一些大型的漏刻装置。

真的吗？能给我讲讲这些大型漏刻装置吗？

交泰殿

乾隆十一年（1746年），宫中制造了一个大型漏刻放置在交泰殿，由三个播水壶和一个受水箭壶组成。

哇哦，还有其他的吗？

皇极殿

嘉庆四年（1799年），又制造了一个大型漏刻放置在皇极殿，形制和交泰殿漏刻基本相同。

虽然你被新的计时工具取代了，但是在宫中还是很受重视呢。

是啊，这也许是因为我不仅是一个计时工具，还代表着中华优秀传统文化吧。

古代漏刻好神奇，我想自己动手做个玩玩。能教我做一个吗？

好啊，虽然我无法教你完整重现一个复杂的漏刻，但我可以带你一起制作一件滴水计时器。

实验材料 透明塑料杯、锥子、胶带、秒表、硬质背板（木板或塑料板均可，长度大于 45 厘米）、棉线和水。

实 验 步 骤

第1步

剪 3 段棉线，每段 10 厘米左右。用锥子在 3 个塑料杯底部各扎 1 个小孔。

棉线

10 厘米

扎小孔

透明塑料杯

第2步

将棉线穿过杯底小孔，向杯子中倒入一点水，检查装在杯子里的水能否顺利通过棉线滴出来。如果水不能顺利滴出来，可以将杯底小孔稍微弄大一点儿哦。

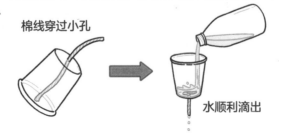

棉线穿过小孔

水顺利滴出

第3步

按照示意图，用胶带将 4 个塑料杯垂直粘在硬质背板上，从上向下标记为 1 号杯、2 号杯、3 号杯和 4 号杯。

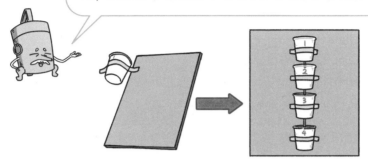

第4步

在第一次使用时，我们在 1 号杯中倒入 100 毫升水。用秒表计时，每 5 分钟查看 4 号杯的水位，并在杯子上按照水面高度画线，作为刻度。以后再使用时，就能根据水到达的刻度记录时间了。

好棒啊，终于大功告成了。

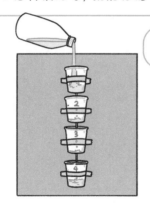

原 理 揭 秘

容器中装有一定量的水，如在容器底部设置一个小孔，水会在重力的作用下自由下落。由于重力加速度的恒定性，每一滴水滴下的时间都是相对稳定的，因此可以通过计算滴水的时间来测量时间的流逝。

哇哦来到北宋汴京（今开封），这里是北宋的都城。他看见一群人围着一座高达十几米，像楼阁一样的建筑。原来是北宋官员苏颂带着工匠们在调试一件叫作"水运仪象台"的大家伙。

您好，苏大人。听说您参与设计、建造了水运仪象台，可否给我介绍一下它的来历和功能呢？

哇哦很好奇，于是凑了上去向苏颂请教。

这是我和韩公廉一起设计并建造的大型天文仪器。它是集浑仪、浑象和报时装置于一体的天文台，具有天象观测、天象演示与计时的功能，是我大宋非常重要的一项科学成就。

浑仪

报时装置

浑象

是吗？看里面的结构就很有意思呢。

水运仪象台分为上、中、下三层，上层有可以开闭的屋顶，设有浑仪，用于观测星空；中层设有浑象，用于显示星空；下层则是驱动和报时装置。

另外，这三层还用同一套传动装置和一个枢轮连接起来，当漏壶的水冲动枢轮后，就会带动浑仪、浑象、报时装置一起转动起来，设计极为精巧。

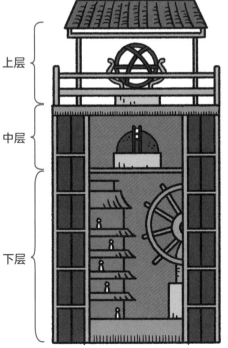

上层

中层

下层

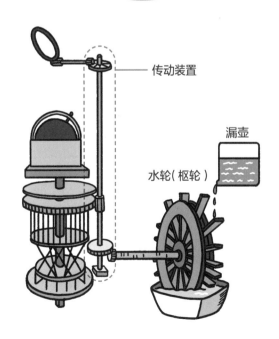

传动装置

漏壶

水轮（枢轮）

水运仪象台有两个方面的创新。

苏颂

哈哈，小木人太好玩了。这台装置有哪些与众不同之处呢？

一方面是将水轮（枢轮）、齿轮系统、控制机构、计时器、浑象和浑仪等整合成为一个完整的机械系统。

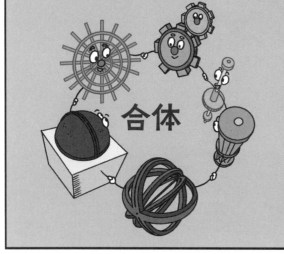

合体

另一方面是发明了由杆系与秤漏等构成的控制机构（天衡），相当于近代机械钟表中的擒纵机构。关于它的具体结构，在我写的《新仪象法要》中有记载。

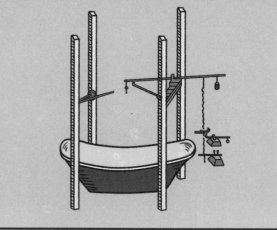

擒纵机构是什么呀？听起来很复杂的样子。

哈哈，其实不难理解。

擒纵机构就像是钟表的"小心脏"，帮助钟表有节奏地走动。

那它是怎么工作的呢？

想象你在荡秋千。每次你快要停下时，有人轻轻推你一下，让你继续荡。擒纵机构就像那个推秋千的人。

哦，我明白了！那它在钟表里具体是怎么工作的呢？

钟表里有贮存能量的部分，就像发条或重锤，有很多小齿轮，帮助传递这些能量。

传递能量

贮存能量

那擒纵机构在哪里发挥作用呢？

擒纵叉

擒纵轮

擒纵机构中有一个叫"擒纵轮"的部件，它就像个"守门员"，控制能量的释放。还有"擒纵叉"，它和擒纵轮一起工作，就像在传接力棒。

听起来真有意思！那为什么它这么重要呢？

因为它可以帮助钟表保持准确的时间。没有它，钟表的指针可能会走得太快或太慢，就像一个没有节奏的乐队。

原来如此！那我们的水运仪象台也有类似的东西，对吧？

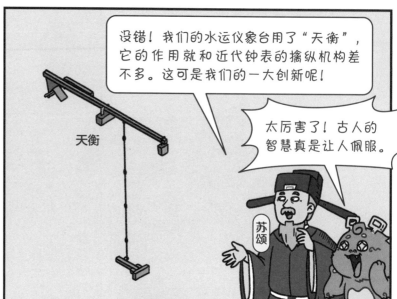

没错！我们的水运仪象台用了"天衡"，它的作用就和近代钟表的擒纵机构差不多。这可是我们的一大创新呢！

天衡

太厉害了！古人的智慧真是让人佩服。

苏颂

我们中国古代是不是一直都有用水力来驱动天文仪器的传统啊？

你观察得很仔细！确实如此。这个传统可以追溯到汉代的张衡。

张衡

张衡？就是发明地动仪的那位大科学家吗？

没错，就是他。张衡不仅发明了地动仪，还制作了水力驱动的天球模型，也就是漏水转浑天仪。

32

浑天仪？那是什么东西啊？

浑天仪，也叫浑象，是用来演示天象变化的仪器。你可以把它想象成古代版的天球仪。

古代版

哇，听起来好厉害！张衡的浑天仪是什么样子的呢？

根据记载，张衡的浑天仪主体是一个大圆球，上面画有恒星、赤道和黄道。最特别的是，它能通过漏壶的水力来驱动，实现自动演示天象。

浑天仪

原来如此！那它能做些什么呢？

它能模拟天体的周日视运动，展示昼夜交替的效果。据说当时张衡邀请人们观看时，大家都惊叹不已。张衡的这个发明，也对浑天说理论的传播起到了不小的作用。

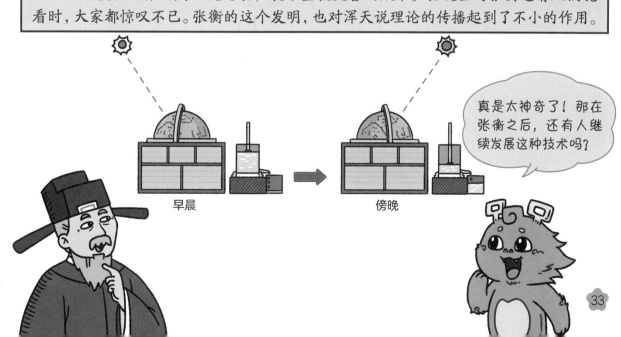

早晨

傍晚

真是太神奇了！那在张衡之后，还有人继续发展这种技术吗？

当然有。在唐代，僧一行和梁令瓒都制造过类似的装置。

梁令瓒

僧一行

到了北宋，张思训也有这方面的贡献。

张思训

你说得对。我们的水运仪象台确实继承了这个传统，但也有了很多创新，比如我们整合了更多的机械系统。

那您的水运仪象台是不是就是在这个基础上发展来的？

苏颂

新仪象法要

苏颂撰有《新仪象法要》一书，里面详细介绍了浑仪、浑象和水运仪象台的结构及其设计和制作情况。该书是中国古代流传下来的最为详备的天文仪器专著，全书附有全图、分图60余幅，绘有机械零件150余种，为我们了解这座仪象台提供了难得的史料。

这么说来，它就是一台以水力驱动的大型天文钟了。

可以这么理解。不过它还有天象观测和演示的功能。

你看到水运仪象台顶部安装的浑仪了吗？

看到了。原来这就是浑仪呀！果然气势不凡。那它为什么会有这么个名字呢？

浑仪，是我国古代的一种天文观测仪器。古人认为天是圆的，"浑"字就有圆球的意义，所以浑仪也反映了古人对宇宙的认识。

浑仪可以用于测量日、月、行星以及恒星在天空的位置，还可以测量两个天体之间的角度，是古代名副其实的"追星利器"。

浑仪在中国有着悠久的历史。据史料记载，早在汉武帝时期就有了浑仪，此后东汉年间又陆续创造了多种浑仪。

浑仪的发展是不断完善的过程，它的部件由少到多，结构由简到繁，最终趋于成熟。唐代的天文学家李淳风在前人基础上创造了浑天黄道仪，他始创三重结构：六合仪、三辰仪和四游仪。

到了宋代，浑仪的发展已经基本成熟，并为中国历代天文学家所使用。明代的浑仪与李淳风的浑仪相比，做了一些简化，但总体的结构基本一致。

浑仪里环环相扣的，看起来好复杂！

浑仪的结构依据是古人心目中不断转动的天体圆球。这个圆球里面是许多一重套着一重的圆环，有些圆环是可以转动的，有些是不能旋转的。圆环有的代表天球的赤道（赤道环），有的代表太阳的运行轨道（黄道环），有的代表月亮的运行轨道（白道环），还有一些象征地平面的地平圈等。

这些环都有什么用？

我们观测天上星星的位置，就如同用经纬度表示地球上某点的地理位置一样。浑仪上的这些环圈上都有刻度，可以反映出从不同坐标体系中看到的天体坐标。

苏颂

哇哦！太神奇了。这么说来，浑仪上的圆环其实代表着不同的坐标，通过窥管就能得到对应天体在不同坐标系中的位置咯？

没错。在浑仪上，有三种主要的坐标系，分别是地平坐标系、赤道坐标系和黄道坐标系。

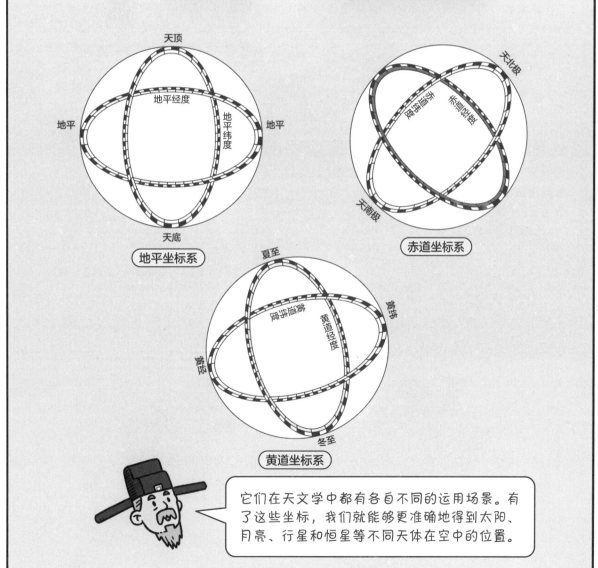

它们在天文学中都有各自不同的运用场景。有了这些坐标，我们就能够更准确地得到太阳、月亮、行星和恒星等不同天体在空中的位置。

我明白啦。苏大人，没想到您作为一名官员，对科技也这么了解呀！

这些都是我分内之事。

苏颂

50000

我大宋的水运仪象台可不是凭空出现的，朝廷为了建造它，可是花费了五万贯，这占到了朝廷岁入的千分之一呢。

真是太让人难以置信了，没想到古代为了科技的发展，国家居然舍得投入这么多财力，真是太了不起了！

浑仪的设计和制造其实反映了中国古人"一仪多用"的理念，也就是在一件天文仪器中加入多种不同的功能。这就如同大家平常使用的一体机，具有打印、扫描、复印和传真等多功能。

与此不同，西方倾向于"一仪一用"的方式。例如，欧洲天文学家第谷设计天文仪器时，就分别使用不同的仪器来测量地平、赤道和黄道坐标。

动手实验 制作天象仪

想不出家门就能看到美丽的夜空吗？我们来动手做一个小小的天象演示装置（天象仪）吧。

太好了！这下在家里就能实现观星自由咯！

实验材料 白纸、纸筒、针、笔、手电筒、星图。

实 验 步 骤

第1步

找到一幅喜欢的星图，用纸和笔将它描摹下来。将描摹好的图纸画面朝外，贴在纸筒的底部。用一根针在纸上的星星位置扎出一个个小孔。

① 描摹星图

② 拿出纸筒

③ 将图纸贴在纸筒底部

画面朝外

④ 用针在星星的位置扎孔

第2步

这时，如果你把纸筒对着镜子，再朝筒里望，你便会看到一幅清晰的星象图。但它是一幅反像。如果将镜子里的像反射到墙壁上，那便是正像了。

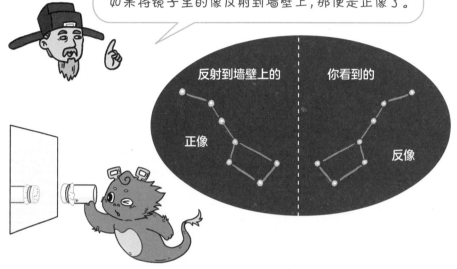

第3步

将天象仪放在一间暗室里，然后将手电筒伸进纸筒里就可以放映了。为了使效果更加逼真，手电光最好不要直接照射在小孔上，而应照射在筒壁上。这样，你就可以在墙壁上看到一幅巨大的星群分布图。

4 天上人间 —— 古代的星座和星图

长安街建国门西南角有一个北京古观象台，这里曾经是明清时期的皇家天文台。古人在这里从事天文观测近 500 年，如今这里已成为展览馆。哇哦进入观象台的主殿紫微殿，看到展厅中间的一幅苏州石刻天文图，上面星座的名称都很奇特。

这时，旁边一件长得像一个箱盒的文物蹦了出来。

小朋友，你在看什么呢？看你这么投入的样子！

你是谁呀？

惊！

我是二十八宿（xiù）漆盒，来自大名鼎鼎的曾侯乙墓。我作为目前最早的完整展示二十八宿的实物，刚好来到这里参加展览。

漆盒你好！你能给我讲讲这幅星图吗？我怎么看得不太明白呢！

好呀，没问题。你知道吗，数千年来，人们一直在关注着星空，而古代的星图与星座更是蕴藏着丰富的历史文化和科学成就。

我只知道有88星座，它们都是怎么来的？

现代的88星座是在1922年正式确立的，有一百多年的历史。不过，这些星座中有一些起源非常早，可以追溯到5 000多年前。后来经由古巴比伦和古希腊人发扬光大，并在欧洲文艺复兴时期不断扩充而得到完善，最终发展为如今的88星座体系。

原来如此，那中国的星官与西方的星座有何不同呢？

星座在中国古代被称作"星官"。与西方星座不同，中国古代星官的命名仿佛是古代社会的缩影，它将山川百物、人间百业都搬到了天上，内容涵盖了古代神话、历史典故、社会制度和人文习俗等。

三国两晋时期，有一个叫陈卓的人，他在前人的基础上，建立了一个含有283个星官、1 464颗恒星的全天星官体系。这些星官大都与古人的现实生活有关，后来这套体系进一步完善，成为中国古代独特的星官划分方法。陈卓的这一成果对后世产生了很大影响，他总结的全天星官一直是后人绘制星图的主要依据，沿用了1 000多年。

陈卓

你看看我的身上是不是也绘有青龙、白虎和二十八宿呢？

哈哈，果然是有一条龙和一只老虎。不过，你身上的二十八宿我怎么没有找着呢？

你再仔细瞅瞅！在我的盖子中央有一个很大的朱书篆文"斗"字，代表北斗七星。它的四周有一圈按顺时针方向排列的二十八宿名称。

嗯，找到啦！

那么二十八宿具体又是指什么呢？我好像在《西游记》里看到过。

哈哈，二十八宿在中国古代文化里出镜率很高。在大家熟悉的《西游记》《水浒传》中，都有它们耀眼的身影。

水浒传

西游记

嗯，我想起来啦！《西游记》中唐僧师徒在小雷音寺被黄眉大王用金铙困住，二十八宿星辰特意下界来帮忙，最后还是亢金龙顶破金铙救出了孙悟空呢。

砰！

看来你对《西游记》很了解嘛！在《水浒传》里，也提到过辽国统军元帅兀颜光麾下有二十八宿将军。二十八宿原本是中国古代最主要的一些星官，后来不断融入古人的生活当中，逐渐成为佛教和道教中的人物，变成具有不同外表和性格的星君形象。

兀颜光

人们从视觉上将太阳在天空中走过的路径称作"黄道"，并且发现月亮及金、木、水、火、土五大行星在天上运动的路线也都在黄道附近。为了测量这些天体的运动，人们将黄道附近的天空划分成若干区域。

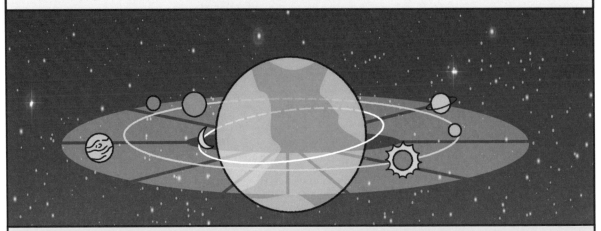

西方人在这里为太阳建立了 12 座宫殿，也就是我们所熟悉的"黄道十二宫"。而中国人在这附近为月亮修建了 28 个旅店，也就是大致沿黄道将这部分星空分成28 份，每一份叫一"宿"，合在一起就是"二十八宿"了。二十八宿的"宿"，其实就是"停留"和"住宿"的意思，古人想象月亮每天走一段路程之后，依次在每一"宿"驻留，这些宿也就成为"月亮的驿站"。

它们之间有何不同呢?

"三垣"又是什么呢?

古人将靠近北极的区域分成三块,称作"三垣"。"垣"是矮墙或者城的意思。"三垣"指的是天空中用星星围成的三片区域,如同天上的三座城,也是古人认为天上最为重要的区域。"三垣"刚好呈三点状分布。

紫微垣就是天上的"紫禁城",由天帝坐镇中央北极,旁边是后妃、太子、宦官等。

紫微垣

太微垣是朝廷行政机构的象征,是天帝和大臣们处理政务的地方。

太微垣

天市垣

天市垣就是"天上的市集",它的面积比太微垣大,可以说是一个庞大的天上街市。

这样看来，中国的星官也是非常丰富多彩呀。

现代的88星座主要基于西方的神话和文化背景，有一半是用动物命名的，四分之一是用神话人物命名的，还有四分之一是用仪器用具等命名的。

中国的古代星官几乎是按照地上人间的模式命名的，可以说囊括了世间百态。

那这些星图又是干什么用的呢？

星图是描绘天上恒星分布和排列组合的图像，它不仅是人们认识和记录星空的某种反映，也是研究和学习天文学的重要工具。

除了你看到的这幅宋代的苏州石刻天文图，古人还有很多非常科学的星图，比如敦煌星图。

这幅星图有什么科学成就呢？

敦煌星图是一件非常珍贵的文物，它的绘制方法很独特。

星图前十二幅对应十二个月，采用直角坐标投影。

最后一幅为北极紫微垣附近天区，采用极坐标投影。

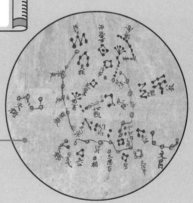

这也是已知古代星图中，最早采用两种投影方式来分别处理赤道附近和北极附近天区的。所以，科学史家李约瑟曾称其为"世界上现存最早的科学星图"。

李约瑟

敦煌星图发现于莫高窟藏经洞（现藏于英国国家图书馆），是世界上现存最早、星数较多的古星图。该图总长3.9米，宽0.244米，其中星图部分约长2.1米。敦煌星图包含13幅星图和50行文字，共绘制了1 339颗星、257个星官，这一数量远超过同时期的欧洲星图。敦煌星图中的星采用多种颜色标记，遵循了中国古代石申、甘德、巫咸三家星官的传统。

欧洲星图

50 行文字

13 幅星图

1 339 颗星

257 个星官

敦煌星图

这么说，星图和地图原理差不多咯！只不过是将天上的星星投影到平面上。

在人类历史上，地图和星图的发展分别遵循着两个不同的方向。地图最开始描绘的是非常局部的区域，随着探索的范围越来越大，它所描述的地区随着文明的进程而不断扩大。但是，星图却是相反的，人们可以轻易地看到整个星空，但只有随着科学仪器和探测手段的不断进步，更多的天体和星空细节才能从黑暗中被人们挖掘出来。不过，在绘图技术上，两者实际上是殊途同归。

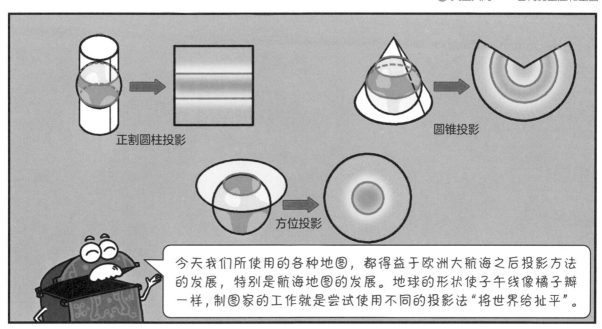

正割圆柱投影

圆锥投影

方位投影

今天我们所使用的各种地图，都得益于欧洲大航海之后投影方法的发展，特别是航海地图的发展。地球的形状使子午线像橘子瓣一样，制图家的工作就是尝试使用不同的投影法"将世界给扯平"。

古人认为天穹是球形的，因此在绘制星图时也会遇到类似的问题。

这就需要特定的投影技术了，而敦煌星图在这方面就有着独特的创造。

哇！没想到星图里面还有这么多的学问呢。

动手实验 模拟星星的绕圈运动

哇哦，想不想知道夜空中星星为什么像是在做绕圈运动？

当然想啦，我都好奇很久了！

实验材料 ｜ 黑色雨伞、白色粉笔。

实 验 步 骤

第1步

用白色粉笔在黑色雨伞的内部画出"北斗七星"的图形。

第2步

把伞撑开，举在头顶上。

第3步

沿着逆时针方向慢慢旋转手中的伞把。

原 理 揭 秘

　　雨伞模拟的是恒星的"周天运动"，伞把模拟北极星。地球自西向东自转，地球的自转轴指向北极星，因此北极星在夜空中几乎保持不动，而其他恒星看起来像是围绕北极星旋转。这种旋转运动被称为"周天运动"。

5 星星为你指路 —— 郑和航海图和牵星板

在夜色笼罩的海面上，一支由两百多艘海船、两万七千多人组成的船队正在航行。

透过淡淡的月色，有一个人走到了甲板上，他的手里拿着一个奇怪的板子与绳子，对着天上的星星不断比量着，这个人正是船队统帅郑和。哇哦的好奇心再一次爆棚，径直走上去想一探究竟。

　　原来，郑和的船队在经过"满剌加"（现濒临马六甲海峡）后，已经进入了印度洋，他们准备前往一个叫"忽鲁谟斯"（现霍尔木兹海峡）的地方。要去访问新的国度，船员们都很兴奋，但是郑和却一脸严肃地望着天空。在这样广阔的海洋上，除了茫茫海水，就是日月星辰，陆地根本无法见到。他必须对可见的天体进行观测，以帮助确定船的位置。

郑和

郑和大人，您手里拿的是什么？它是做什么用的呢？

这个东西叫牵星板，是重要的航海工具。

我们已经离开陆地这么远了，您是如何知道位置和方向的呢？

我们的船上配备了专业的领航员，他们会根据天文知识和实践经验，结合航海图，运用牵星板计算出我们的位置和方向。

《郑和航海图》是郑和船队远航的重要图籍，原名《自宝船厂开船从龙江关出水直抵外国诸番图》，载于明代茅元仪所著兵书《武备志》卷二百四十。该图呈一字形长卷，记载了郑和宝船从长江口出海至南亚和东非诸国的航海线路、指南针方位及航程等信息。

这可是我们大人的秘密武器！

这些航海图都是怎么使用的呢？

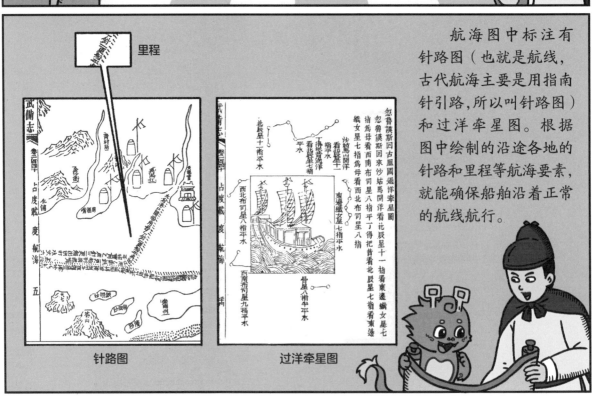

针路图

过洋牵星图

航海图中标注有针路图（也就是航线，古代航海主要是用指南针引路，所以叫针路图）和过洋牵星图。根据图中绘制的沿途各地的针路和里程等航海要素，就能确保船舶沿着正常的航线航行。

那《过洋牵星图》又是什么东西？

《过洋牵星图》以图示的方法标出船只经过印度洋某些地区时所见到的若干星辰的方位和高度角，是配合"过洋牵星术"进行天文观测时用的。

《郑和航海图》中绘有四幅"过洋牵星图"，分别给出苏门答剌、锡兰（今斯里兰卡）、忽鲁谟斯（今波斯湾地区）、沙姑马山和丁得把昔五个地点不同星宿的地平高度值（通过观测恒星的地平高度，就可以推算出该地的地理纬度），依此就能判断船舶是否处于与这五个地方纬度相同的位置。

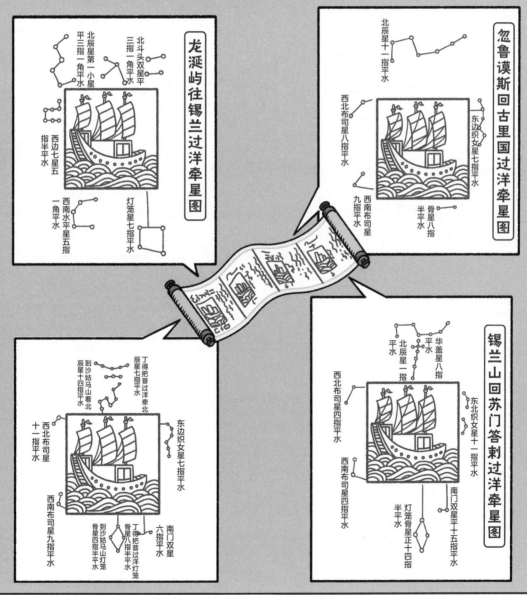

过洋牵星术听起来十分神秘，我不知道具体如何使用，是不是和您之前提到的牵星板有关？

没错，我们在航海中利用牵星板来推测地理位置的方法，就叫作牵星术。牵星术是利用天上的星星位置与海平面的角高度来推测地理位置的一种方法，而牵星板是用来进行天文测量的航海装备。

牵星板

郑和

牵星板是测量星体距水平线高度以确定船舶纬度的古代天文测量仪器。由大小不一的 12 块木板和穿过木板中间的绳子构成。牵星板呈正方形，最大的每边 24 厘米，为十二指，以下每块递减 2 厘米，最小的一块每边为 2 厘米，为一指。牵星板还配有一块象牙板，边长二寸（约为 6.67 厘米），四角都切去一块，分别表示一角（1／4 指）、二角（半指）、三角（3／4 指）和半角（1／8 指），用它来测量指以下的小距离。牵星板的原理相当于现代的六分仪。通过牵星板测量星体高度，便可以测出船舶所在地看到的星辰距离水平线的高度。

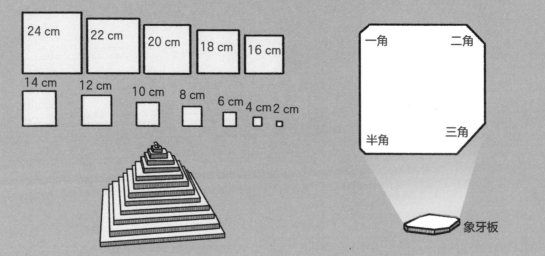

24 cm 22 cm 20 cm 18 cm 16 cm 14 cm 12 cm 10 cm 8 cm 6 cm 4 cm 2 cm

一角　二角　半角　三角

象牙板

那这个东西该如何使用呢？

我让领航员给你演示一下吧。

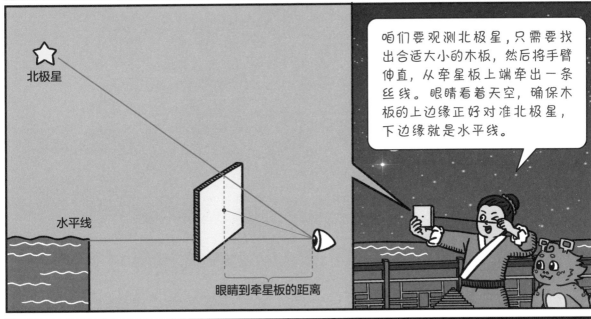

北极星

水平线

眼睛到牵星板的距离

咱们要观测北极星，只需要找出合适大小的木板，然后将手臂伸直，从牵星板上端牵出一条丝线。眼睛看着天空，确保木板的上边缘正好对准北极星，下边缘就是水平线。

这样，牵星板的尺寸就是船只所在地北极星的地平高度。于是就可以估算出星辰的地平高度，也能得出纬度了。（北极星地平高度=当地纬度）

哦，我明白了。其实就是利用牵星板、丝线和手臂构成直角三角形来进行测量，对吧？

我记得前面提到过北极星。它在《过洋牵星图》中是不是特别重要？

没错！北极星，在这幅图中也被称作"北辰星"，它在航海中占有特殊地位。北极星的优势在于无论什么季节、什么时间，它在天空的位置都基本不变，所以我们可以随时用它来确定位置。

北极星

哦，我明白了。那这上面说的"北辰星十一指平水"是什么意思呢？

这句话的意思是，在某个特定位置，使用十一指宽的牵星板正好可以测量到北极星的高度。这个信息可以帮助我们确定所在的纬度。

《过洋牵星图》里还包括哪些星星呢？

还包括织女星、布司星、水平星、华盖星、灯笼骨星等。这些星星在不同的时节和时辰都有其特定的用途。

真的吗？恒星怎么帮助确定方向呢？

古人总结了一套观星法。比如，《顺风相送》中记载了北斗星、华盖星等星座的出没方位。这些信息可以用来判断夜间的方位，校正船舶航向。

听起来很复杂啊。您能举个例子吗？

当然。比如"北斗出在丑癸，入在壬亥"。这里的"丑癸""壬亥"是古代二十四方位系统中的具体方向。通过观察北斗星的出没位置，我们就能判断方向。

原来如此！那时间呢？在海上怎么确定时间？

我们主要确定一天中的特殊时刻，比如寅时、日出与日落时间，以及昼夜时长的比例。这些信息可以帮助我们校正船用计时器，或在没有计时器的情况下估算时间。

所以你知道了吧，利用过洋牵星术我们就可以方便地在海上找到船队所处的纬度位置，再结合指南针提供的方位，以及航海图上的针路信息，就能朝着目的地持续前行了。

太神奇了！没想到天文学在航海中还能起到这么大的作用。难怪您带领的船队每次都能顺利地进行远洋航行。

哈哈，牵星术和《过洋牵星图》是古代航海的一项传统技术，有了它们，就可以让星星为我们指路了。

动手实验 制作模拟牵星板

哇哦，想不想和我一起做个模拟牵星板？

好呀，这样我就更能理解这其中的原理啦！

实验材料 细绳（约0.9米长）、硬币、笔、尺、卡片、胶带。

实验步骤

第1步

将细绳的一端粘在硬币上。

第2步

将细绳的另一端固定在门框的中心部位，使硬币垂下，离头顶约15厘米。

15厘米

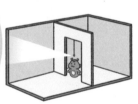

第3步

在硬币正下方的地面贴上一段胶带，并写上"甲"或"X"。

甲

第4步

拿出卡片，在中间画一条粗的直线，标注"地平线"。

地平线

第5步

在第一个房间的地面上粘上一段胶带，写上"乙"或"E"。胶带"乙"和"甲"之间的距离为1.8米。

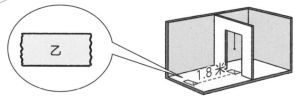

1.8米

乙

第6步

站在胶带"乙"后面，闭上一只眼睛，观察悬挂的硬币。将卡片粘在第二个房间远处的墙上，使卡片上的地平线和硬币的底部在同一条直线上。

地平线

甲

乙

第7步

从胶带"乙"走向胶带"甲"，注意硬币底部和卡片上的地平线之间的变化。

当从"乙"走向"甲"时，硬币与卡片上地平线的距离不断增大。

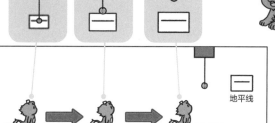

哇哦看到的硬币和地平线位置关系变化

地平线

乙　　　　　　　　　　　　甲

原 理 揭 秘

硬币模拟北极星，卡片上的线模拟地平线。实验展示了随着位置的变化，恒星在地平线上的高度变化，这与牵星板的工作原理相似。